Collection dirigée par Valérie Tracqui

la cigogne
grande voyageuse

Par
Christine et Michel DENIS-HUOT

patte à patte
MILAN

Non ! La cigogne n'apporte pas de bébés dans son bec.

Le grand retour

Il fait encore bien froid au mois de mars dans notre pays. Pourtant, le printemps s'installe sur la campagne. Les premières fleurs apparaissent et quelques grenouilles coassent au bord de l'étang.

Non loin de là, comme tous les jours à midi, le village est en pleine activité. Soudain, sur la place du marché, un enfant crie en montrant du doigt un grand oiseau noir et blanc. Il vient de se poser sur le nid en haut du clocher de l'église. Quelle joie ! La première cigogne est de retour.

Les passants lèvent la tête, heureux de retrouver « leur oiseau » après une longue absence. Sur une patte, il porte une bague qui permet de l'identifier : c'est bien le mâle de l'an dernier.

L'oiseau reste sur le nid jour et nuit. Pas question de laisser son domaine inhabité, sinon un concurrent pourrait le lui voler.

revient près de l'endroit où elle est née, pour nicher.

7

Un nid géant

Le mâle est resté tout l'hiver séparé de sa dame. Il l'attend maintenant sur le nid qu'ils occupaient ensemble l'été dernier : c'est là qu'elle doit revenir. Des cigognes passent en vol au-dessus des toits, mais elles ne s'arrêtent pas.
Enfin, quelques jours plus tard, la femelle arrive. Heureusement elle n'a pas tardé, sinon une étrangère aurait pu prendre sa place. C'est ce qui s'est passé trois ans auparavant. La dame légitime s'est alors battue pendant plusieurs jours avec l'intruse avant de pouvoir la chasser. Le village s'en souvient encore !

Les premiers jours de leurs retrouvailles, le couple s'occupe du nid. L'énorme amas de branchages s'est affaissé depuis l'an dernier. Les deux oiseaux tirent sur les branches pour aérer l'édifice.
À grands coups de bec, ils ramollissent le fond de la cuvette et vont chacun à leur tour au sol, chercher de nouveaux matériaux.

Pour construire un nid neuf, il faut plus d'une semaine. Quel travail !

Tout est bon pour le fond du nid : herbe, paille, papier et même chiffons.

s cigognes installent toujours leur nid très haut : sur un toit, une cheminée, un clocher ou à la cime d'un arbre.

Fidèles... au nid

Ce nid a été construit plusieurs années auparavant par un autre couple. Mais il est agrandi et amélioré chaque année par les cigognes qui l'occupent.
Il n'a pas encore la taille de celui du village voisin qui mesurait deux mètres de hauteur et de diamètre et pesait plus de 500 kilos, presque aussi lourd qu'une vache !
Une fois le nid remis en état, les deux oiseaux commencent leur ballet d'amour. Ils se mettent à tourner en rond en écartant les ailes. Puis ils rejettent leur tête en arrière d'une manière très spectaculaire. Monsieur mordille le bec de sa dame et les plumes de son cou avant de se placer sur son dos. Quelle acrobatie ! Pour garder l'équilibre, le mâle doit souvent battre des ailes.

Quelques jours plus tard, le mois d'avril arrive en même temps que le premier œuf. La femelle cigogne se met aussitôt à couver et Monsieur la relaie toutes les heures.

Le mâle ne s'accouple qu'ave une seule femelle. Mais contrairement à ce que l'on pense, il n'est pas toujours fidèle à la même partenaire, mais plutôt à son nid.

La nuit, seule la feme couve les œu

s des amours, les oiseaux dessinent de belles figures harmonieuses.

s œufs de cigogne sont blancs et plutôt petits.

Deux jours après, la cigogne pond son deuxième œuf et ainsi de suite, tous les deux jours. Entre le premier et le dernier œuf pondu, il s'est ainsi écoulé près d'une semaine. Chaque œuf doit rester au chaud un mois entier pour que le poussin soit prêt à naître. Alternativement, mâle et femelle continuent sans relâche à compléter le nid avec de nouveaux branchages. Ils sont bien occupés.

Le craquètement du bec sert aussi bien à saluer le partenaire qu'à intimider un ennemi.

Jeux de becs

À chaque fois qu'ils se passent le relais, les deux oiseaux se saluent cérémonieusement. Chacun rejette la tête en arrière jusqu'à toucher son dos puis la ramène en avant. En même temps, ils claquent du bec en faisant un drôle de bruit de castagnettes : on dit qu'ils craquettent ou bien qu'ils glottorent. Ce sont les seuls oiseaux à faire cela. D'ailleurs, dame cigogne ne sait pas émettre d'autres sons, elle est muette.

Un jour, alors que le mâle couve, de jeunes cigognes tout juste adultes viennent planer au-dessus du nid. Aussitôt, c'est l'alarme ! L'oiseau de garde se met à craqueter et à faire un ballet furieux avec ses ailes. Très agressif, il hérisse tout le plumage de son cou et pointe son bec vers le ciel.
Les jeunes intrus comprennent l'avertissement et s'éloignent. Pourtant ils aimeraient bien prendre possession de ce nid, plutôt que d'en construire un nouveau. C'est si long et difficile.

Carte d'identité

Comment me reconnaître ? Facile !
Je suis un grand échassier blanc
avec le bout des ailes noir et un
long bec rouge très pointu. Mes
longues pattes sont rouges aussi.
Rien à voir avec mes petits dont le
bec est noir et les pattes plutôt
brunes. J'ai trois doigts à l'avant,
légèrement palmés comme les
canards, ce qui me permet de me
déplacer à l'aise dans l'eau.
Le quatrième doigt, à l'arrière, me
sert à me tenir sur les branches.

J'ai attendu deux ans pour ressembler à un adulte, en muant une fois par a

Nos becs, puissants et tranchants, sont des armes terribles pour capturer grenouilles et insectes.

Je deviens adulte vers 3 ans et je peux vivre plus de 10 ans, si tout se passe bien.

Côté aérien, je suis un excellent planeur, grâce à mes larges ailes qui atteignent presque deux mètres d'envergure.
Je ne bats des ailes qu'au décollage et j'abandonne ce type de vol dès que possible. Bien sûr, au départ, je parais lourde et maladroite. Mais ensuite, je plane avec grâce, le cou tendu et les pattes en arrière, en utilisant les courants chauds qui existent dans l'air. C'est bien moins fatigant !

ffficile de dire si je suis un mâle ou une femelle : il n'y a pas de différence sible.

Pour entretenir mon plumage, je fais ma toilette plusieurs fois par jour.

Chasseur à l'affût

La cigogne marche dans l'eau peu profonde du petit étang. Que fait-elle, le corps penché en avant, totalement absorbée ? Madame chasse ! Soudain, elle détend son cou d'un mouvement rapide et propulse son bec comme un harpon sur une proie. Et hop ! une grenouille.

Les batraciens ne constituent cependant pas sa nourriture préférée. Elle attrape à l'affût de nombreux petits rongeurs et des insectes, en particulier à la période des labours ; elle aime aussi les vers de terre, surtout pour nourrir ses oisillons.

Et elle ajoute à son menu des petits mammifères, mollusques, lézards et même des poissons. La cigogne n'est vraiment pas difficile et s'adapte bien aux circonstances. Avec son long bec, c'est facile.

La nuit tombe, la femelle couve sur le nid. Le mâle, lui, a choisi la cime d'un arbre pour se reposer. Sa position est caractéristique : debout sur une patte, il enfouit le bec dans les longues plumes gonflées de son cou.

La cigogne se nourrit surtout dans les zones humides ou marécageuses ainsi que dans les champs.

Aujourd'hui au menu : ver de terre, grenouille
et une petite taupe pour le dessert.

Pour manger plus vite, les cigogneaux plongent leur bec dans celui de l'adulte.

Le nouveau-né n'a pas besoin d'apprendre à craqueter avec son bec.
C'est un comportement inné.

Encore, encore...

Mai : un mois a passé. Soudain, au petit matin, le premier poussin apparaît. C'est une toute petite boule déplumée qui ne pèse que 75 grammes. À peine au monde, il fait déjà comme ses parents : il renverse la tête en arrière tout en agitant ses petits bouts d'ailes et fait vibrer son bec. Les adultes régurgitent un ver de terre dans le fond du nid. L'oisillon, avide, s'en empare goulûment.

Les naissances se succèdent sur plusieurs jours. Enfin, une semaine plus tard, le dernier cigogneau de la portée vient au monde. Heureusement pour lui, la nourriture est abondante. Sinon ses aînés, déjà bien développés, goberaient tout et il mourrait de faim.

Tous les oisillons piaillent et sifflent pour avoir plus de nourriture. Les parents doivent les nourrir toutes les deux heures. Quel travail ! Il leur faut chasser sans arrêt, car toute la famille réunie consomme près de trois kilos de nourriture par jour.

Jusqu'à trois semaines, il y a toujours un adulte qui reste avec les jeunes.

Vol d'essai

Les jeunes sont agités et agressifs. Leur plumage duveteux a poussé. Ils mendient maintenant si fort que leurs parents se réfugient souvent sur des toits proches pour être tranquilles. Dès qu'ils reviennent, les oisillons se précipitent sur eux et les piquent au jabot pour qu'ils régurgitent plus vite. Comme ils mangent beaucoup, les poussins grandissent très vite : à deux mois, ils pèsent déjà trois kilos.

Les jeunes jouent maintenant à sauter en l'air. Déjà, ils arrivent à décoller de quelques centimètres. Leurs parents ne leur apprennent pas à voler. Ils savent le faire d'instinct. Peu à peu, ils effectuent de petits vols hors du nid. Puis, ils finissent par partir toute la journée, ne revenant bientôt que la nuit.

Fin juillet, les cigogneaux délaissent le nid. Ils sont devenus autonomes et partent rejoindre les autres jeunes de la région.

Dès que les cigogneaux sont capables de se tenir sur leurs pattes ils s'agitent et n'arrêtent pas de se chamailler.

Les cigogneaux s'entraînent
au vol à partir de
7 semaines.

Quand il fait chaud, l'adulte
transporte de l'eau dans son bec,
pour la déverser directement dans
celui des petits.

Départ
pour l'Afrique

Les cigognes ont vécu isolées tout l'été, chaque couple restant autour du nid, séparé des jeunes. Mais comme le mois d'août se termine, les adultes se regroupent en bandes. Ils savent d'instinct qu'il est temps de quitter la région, car la nourriture va leur manquer cet hiver.

Les cigogneaux rejoignent maintenant leurs aînés pour effectuer avec eux leur première migration. Comme les oiseaux progressent lentement, ils mettent plusieurs semaines pour faire les dix mille kilomètres qui les séparent des savanes africaines. Ils survolent le détroit de Gibraltar puis le désert du Sahara avant d'arriver enfin, au mois de novembre, en Afrique de l'Ouest.

Pendant l'hiver, les grandes communautés de cigognes suivent les invasions de criquets. Les couples se sont défaits et les partenaires peuvent passer l'hiver à plus de mille kilomètres l'un de l'autre.

Les cigognes se retrouvent au milieu des herbivores africains dans la savane ou au bord des lacs.

Le village perd à nouveau sa cigogne. L'instinct migratoire l'appelle.

Le jabiru est le cousin africain de la cigogne blanche.

Les criquets migrateurs font le régal des cigognes.

Quel périlleux voyage !

La vie en Afrique de l'Ouest est dangereuse pour les cigognes. Beaucoup d'entre elles meurent, victimes de la chasse, ou empoisonnées par les insecticides. C'est l'hécatombe ! Après plusieurs mois sur les lieux d'hivernage, seuls quelques centaines d'adultes sont prêts à reprendre leur route vers le nord. Les jeunes nés cette année, eux, ne rentrent pas ; ils reviendront en Europe l'an prochain, retrouvant comme par miracle le lieu de leur naissance.

En Afrique, les cigognes s'arrêtent sur les lacs pour se nourrir.

Elles évitent de traverser la mer, car les courants d'air chauds n'existent pas au-dessus de l'eau.

24

Quelle élégance en vol, pour cet oiseau blanc, chargé de symboles.

Ça y est, c'est le départ !
Les cigognes montent dans le ciel en décrivant de larges cercles. Elles prennent rapidement de la hauteur, aspirées par les courants d'air chauds, puis disparaissent à l'horizon.
À près de 3 500 mètres d'altitude, elles planent sans effort, ne volant que le jour, quand la chaleur est suffisante pour créer les courants nécessaires.

Malheureusement, la route est encore longue et difficile, car les lignes à haute tension sont meurtrières. Et au mois de mars, très peu des oiseaux partis fin août, reviennent dans les villages, annoncer le printemps...

Aimée et menacée

Très populaire, la cigogne blanche fait partie de la vie des hommes, pour lesquels elle est un symbole de fécondité et de fertilité. Mais, en contradiction, elle est aussi menacée par les Africains lors de sa migration : ils la chassent et détruisent sa nourriture avec des insecticides. Après une quasi-disparition dans beaucoup de pays d'Europe de l'Ouest, un espoir apparaît grâce aux centres de réintroduction.

Proche des hommes

Les cigognes sont arrivées en Europe au Moyen Âge. Elles nichaient dans les arbres ou dans les rochers, puis elles ont bâti leur nid dans les villages. Les hommes savent depuis longtemps qu'elles migrent tous les ans vers l'Afrique et qu'elles n'hivernent pas chez nous l'hiver, comme le disaient les croyances. En 1900, il y a des milliers de cigognes en Alsace. Mais les effectifs baissent et, en 1960, il ne reste plus que 145 couples. Le phénomène s'accélère et seuls deux couples sauvages nichent en 1982. Toute l'Europe de l'Ouest connaît le même problème. Par contre, en Europe de l'Est, la cigogne blanche orientale se porte beaucoup mieux.

Le choix de l'itinéraire

Pourquoi cette hécatombe à l'ouest ? En baguant des milliers d'oiseaux, les ornithologues constatent vite qu'énormément de cigognes blanches meurent sur les lieux d'hivernage. Quand elles arrivent exténuées et amaigries après la traversée du désert, elles sont exterminées par les chasseurs locaux. Ils les mangent ou les tuent pour récupérer leurs bagues et s'en faire des colliers. De plus, la lutte chimique contre les criquets prive les cigognes de leur principale source de nourriture.

Par contre, les oiseaux orientaux, eux, ont plus de chance. Ils hivernent en Afrique de l'Est où la chasse est faible et où de vastes parcs nationaux leur offrent des conditions plus favorables. C'est là toute la différence.

Quand elles so
bien nourries,
les cigognes n
craignent ni le
ni la neige,
contrairement
que les gens o
longtemps cru

Les cigognes blanches orientales survolent la Turquie, le Bosphore et hivernent en Afrique de l'Est. Les cigognes de l'ouest passent par le détroit de Gibraltar, puis survolent le Sahara avant de s'installer à l'ouest de l'Afrique.

Comment les sauver ?

En voyant les problèmes liés à la migration, certains ont eu l'idée d'empêcher les cigognes de migrer pour faire remonter les effectifs. En Alsace, le professeur Schierer crée en 1956 le premier enclos, où il recueille des oiseaux accidentés. Actuellement, plusieurs centres d'élevage existent, comme le centre de réintroduction des cigognes d'Hunawihr créé par Jean-Claude Renaud en 1976, ainsi que d'autres, installés en Gironde et dans la Somme, au nord de la France. Les œufs sont couvés artificiellement et les cigogneaux sont bien nourris. Au bout de 3 ans, ils perdent leur instinct migratoire et sont relâchés. À nouveau libres, les oiseaux s'établissent aux alentours des centres, revenant l'hiver quand les proies se font rares. On installe ensuite des plates-formes de nidification pour les aider dans la fabrication du nid. Leurs petits partiront eux, de toute façon, en migration.

Une réussite

Aujourd'hui, il y a une centaine de couples sédentaires installés dans les villages d'Alsace, plus une dizaine de couples mixtes, c'est-à-dire dont l'un ou les deux partenaires migrent. Et à ceux-là, il faut rajouter la vingtaine de couples qui nichent ailleurs en France : en Normandie, dans les Dombes, en Camargue et sur le littoral atlantique.

que année, environ 15% des ognes en migration meurent es lignes électriques à haute sion. Alors les agents d'EDF nt des balises de protection r les dissuader de s'y poser.

La bague indique le lieu et la date de pose.

Une imposante famille

La cigogne blanche fait partie de la grande famille des ciconiidés qui comprend dix-sept espèces. Ce sont tous des échassiers de grande taille, adaptés à la vie dans les eaux peu profondes : ils ont un long cou, de longues pattes et un long bec. On peut séparer ces grands oiseaux planeurs en plusieurs groupes : les tantales, les jabirus et les différentes cigognes. Un peu à part se placent les marabouts qui sont des cigognes mangeuses de cadavres et qui ne volent pas le cou à l'horizontale.

▲
Le grand *marabout* africain a un très long bec bien utile pour ouvrir la peau des animaux morts. Il a la tête presque chauve. En vol, il ressemble aux vautours avec lesquels il se retrouve souvent. Il niche en colonies sur les arbres ou sur les rochers. Cette très grande cigogne a un drôle de sac rose sous le cou qui peut atteindre 30 cm de long chez le mâle.

Le *jabiru* australien chasse surtout des poissons mais aussi de gros insectes de manière curieuse : il poursuit sa proie et pique sur elle en sautant en zigzag. Il sait d'ailleurs courir en battant des ailes dans les eaux peu profondes. Le couple niche solitaire dans les arbres. La femelle a les yeux jaunes. D'autres espèces de jabirus vivent en Amérique et en Asie. ◄

Le *tantale* ibis africain est plus petit que la cigogne blanche. Pour pêcher, il avance [dan]s l'eau, le bec ouvert. [So]n nid est installé dans les arbres. D'autres espèces de [tan]tales vivent en Asie et en Amérique.

Un peu plus petite que la cigogne blanche, la *cigogne noire* est un oiseau forestier qui niche dans les arbres ou sur les rochers. C'est le seul autre oiseau européen de la famille. Cette cigogne ne craquette pas, mais chante doucement. Elle émigre à peu près comme la cigogne blanche vers l'Afrique en hiver.

29

Crédit photographique sauf C. et M. DENIS-HUOT :
BIOS : J.L. et F. Ziegler : p. 26-27(b).

© 1994 C.et M. DENIS-HUOT pour les photos :
1ere et 4eme de couverture et pages 4, 6-7, 8-9,
10-11, 12-13, 14-15, 16-17, 18-19, 20-21, 22-23, 24-25, 26(h), 27(b), 28-29.